俄罗斯聪明玛莎出版社
北京开心球动漫技术有限公司

世纪事件

赵力 译

不合理安排好时间，就什么都做不成。

中国人民大学出版社
·北京·

人物介绍

喜欢运动和探险，爱吃胡萝卜

一只淘气、多嘴的兔子。活泼好动，充满活力，是个乐天派，和猬小弟是最好的朋友。

喜欢收藏各种东西，喜欢看书

善良、有礼貌、乐于助人、有一点点害羞。这只小刺猬总是不慌不忙，外表很温柔，内心很勇敢。

爱漂亮，喜欢幻想，喜欢收礼物

可爱迷人的女孩，爱吃甜食，微胖界美女。经常鼓舞其他开心球去完成重要的事情，喜欢得到赞美。

喜欢文学、诗歌和艺术

非常敏感、容易受伤，开心球中的著名诗人。一直在寻找灵感，散发着忧郁而浪漫的诗人气息。

热爱科学、读书和美食

很有才华的科学家，生活中有点儿笨手笨脚。对待任何问题，他都会在自己的藏书中寻找科学的答案。

巧老师

喜欢烹饪，关心大家的健康

乐于助人、充满爱心的奶奶。随时带着医药箱，经常给别人看病，倡导健康的生活方式，严厉但很公平。

大嘴叔

喜欢旅行，热爱戏剧和音乐

年长的绅士，伟大的旅行家。是个讲故事的能手，有艺术家气质，有一点儿爱吹牛。

农夫熊

喜欢种植，爱吃蜂蜜

温顺憨厚，不善言谈，整天都在地里干农活：耕地、除草、灭虫……他种的蔬菜长得非常快！

平博士

热爱发明，擅长机械，敢于冒险

自学成才的发明家，能将一堆金属碎片变成神奇的机器。喜欢开飞机，经常冒出奇怪的想法。

小贝

聪明绝顶，喜欢探索太空

平博士创造出来的机器人，拥有超强的学习能力，不会说话，但可以发出电脑声波传达信息。

太阳非常努力地照耀着大地。就这样一年又一年地重复着。

在过去的一百年里，太阳仅仅为自己放过一个短假。它藏到月亮后面，使大白天突然变成黑夜。很少有人能够经历这样的事件。

“日全食！”鹿教授激动地推开望远镜。

“我们一定不能错过这次世纪大事件！”他迅速跑开，去通知其他人。

兔小跳和猬小弟正百无聊赖地坐在门廊下。

“猬小弟，你有没有觉得我们的生活变得越来越没意思了？”兔小跳转过身扔出一块石头：“我们很久都没有做过什么伟大的事啦。”

猬小弟无奈地涂掉地上的游戏，试探着说：“要不然，我们去旅行？”

这个想法勾起了兔小跳的兴趣，它实在是很美妙。

“我们去北极吧，去把滑雪板玩断！”他兴奋地说道，仿佛一点都不害怕攀爬结冰的悬崖峭壁。他想象着，左边是悬崖，右边是裂隙，而前面是熔岩沸腾的火山。

他的美好想象被鹿教授的喊叫声打断了。

“日全食！一百年才一次！明天早晨太阳升起的时候，请不要错过呀！”

鹿教授飞奔而来，用尽所有力气喊着，在门廊前来了个“急刹车”。他喘了口气后，又急急奔向下一个地方，去通知其他小伙伴。

“猬小弟——”兔小跳激动得差点儿跳起来，“日全食！这可比玩断滑雪板有趣多了。我们哪儿也不去了，就看它了！”

“要早点儿回去睡觉。”猬小弟也很激动，“如果睡过了头，就错过日全食了，之后会遗憾一百年。”

“你说得很对，现在我们就去上床睡觉！”兔小跳像下达命令似的说道，之后转身向自家方向跑去。

太阳倚靠着地平线，仿佛也在打哈欠，白天渐渐地变成黑夜。

为了睡得又香又甜，猬小弟喝了一大杯加了蜂蜜的热牛奶，之后开始数羊。在床上翻来覆去一阵后，猬小弟终于安静下来。回味着蜂蜜牛奶，他慢慢地进入了梦乡，那是一个又大又柔软的梦……

“猬小弟，看！”巨大的喊声吵醒了猬小弟，他跳起来跑到窗边。精神抖擞的兔小跳戴着一副时髦的太阳镜站在窗外。

“我要用太阳镜来观测日全食。”他炫耀地说道。

“酷！”猬小弟敷衍着兔小跳，摇摇晃晃地走回床上，“祝你晚安！”

又翻来覆去了好一阵后，猬小弟终于愉快地进入梦乡。在那里，他变成了巨大的绿色仙人掌，长在柔软温暖的沙子中，四周飞舞着蝴蝶，蚱蜢蹦蹦跳跳，还有一些敏捷的小昆虫爬来爬去。

“丁零零——”突然传来刺耳的铃声。

“发生了什么事？”受惊吓的猬小弟大叫起来。

“我在测试闹钟。”兔小跳兴奋地喊道。

“我怎么把闹钟这事忘了呢？”猬小弟走下床，上好了五个闹钟。

兔小跳决定开始认真地睡觉：他挑选了有催眠功能的橘黄色毯子和塞满了豌豆的枕头，用最喜欢的姿势躺在床上，使劲闭上眼睛，并用毯子蒙上头。

过了五分钟，兔小跳觉得有点儿闷，就掀开了毯子。这时从天花板上冲下来一只小蚊子，围着兔小跳嗡嗡直叫。它的叫声就像十个闹钟那么刺耳。

兔小跳无法进入梦乡。“猬小弟睡着了吗？”兔小跳从床上爬起来走向朋友家。

猬小弟也没有睡着。

为了透透气，猬小弟来到了门廊前面。在那里他遇到了从头到脚裹着橘黄色毯子的兔小跳。他俩同时叹了口气。

“我们太幸运了，能看到日全食。”兔小跳试着改善下心情。

“如何才能睡着呢？”猬小弟陷入深深的忧虑中。

“需要让身体疲惫！”兔小跳终于想到了办法。

他俩先玩了会儿足球，又举了会儿杠铃。猬小弟筋疲力尽，跌倒在地上。

“我觉得我实在是太累了，但累得更睡不着了。”他气喘吁吁道。

“来吧，猬小弟，你还不够累！”兔小跳把耷拉着脑袋的好朋友扶起来，命令道，“再转三十圈，我们保证睡得像婴儿一样香。”兔小跳充满诱惑力地劝说着。

但是猬小弟已经彻底瘫软了，他闭着眼睛，粗重地喘着气。

兔小跳非常担心朋友，如果猬小弟得了失眠症的话，就再也睡不着了吗？

兔小跳抓着猬小弟的手，拖着他向大嘴叔的家走去，因为聪明的乌鸦总是有好多的建议。

“来，猬小弟，起来吧，别犯懒！明早还有世纪事件，需要睡足了。”兔小跳一边鼓励着猬小弟，一边拖着他往前走。

猬小弟终于苏醒过来了。兔小跳高兴得蹦了起来，唱起了鼓舞人心的进行曲：“左脚，睡吧，我亲爱的朋友。右脚，屋中的火已熄灭！”

“嘘，安静！”不知是谁在草丛中咆哮着。

手电筒的光束划破了黑暗，他俩看到戴着尖顶睡帽的大嘴叔睡眼惺忪地站在门口。

“你们怎么还没睡觉？现在都几点了！”大嘴叔敲了敲手表。

他们讲了自己睡不着的事情，于是大嘴叔请他们喝杯定神的茶。喝完茶，他就开始沉浸在回忆中。

“我永远都能在火车里睡得很香，”大嘴叔摇晃着开始高谈阔论，“因为它摇晃得很厉害。”

兔小跳仿佛看到了微小的希望：通常大嘴叔的夸夸其谈总能使他五秒钟内入睡。他把猬小弟挪到枕头边，然后开始摇晃自己。很快，大嘴叔和猬小弟一起甜甜地睡着了。而兔小跳却仍然没有睡着，他似乎没坐上这趟列车。

第一缕阳光给云朵镶上了金边。

兔小跳推醒了猬小弟，他们要一起出发去看日全食。拖着疲倦的双腿，他俩踉踉跄跄地来到森林边一棵枝叶茂密的大树下。猬小弟马上把身子蜷成一团，坐在那里打瞌睡。

兔小跳打了个哈欠，喃喃说道，“等看完日全食，就可以安心地睡去了。这可是世纪事件啊，我们看到了日全食，他们谁敢相信！”

为了赶走从四面八方袭来的又温暖又柔软的睡意，兔小跳尽量大声地说着话。但是眼皮还是无力地粘在了一起。看日全食的意义开始变得微不足道，之后彻底消失得无影无踪。

太阳从地平线缓缓升起，照耀着开心球生长的国度：森林、河流、大松树，还有两个睡着的好朋友。

顽皮的太阳光想叫醒他们，就像每天早上那样。他来到兔小跳那里，在兔小跳的鼻子上呵痒。兔小跳打了个喷嚏，又睡着了。他又来到猬小弟那里，轻抚他背上的刺，又轻轻地抓住他的脚后跟，猬小弟缩回了自己的脚，在睡梦中腼腆地笑了。无论是铃声还是早晨飞溅的露珠，都无法打扰他们的美梦。

玩累了，太阳甜甜地打着呵欠，慢慢地把自己藏到了月亮后面。森林笼罩在黑暗中，鸟儿和昆虫都安静下来了，甚至连风都屏住了呼吸。只听到从森林边上传来幸福的呼噜声。兔小跳梦见，他们一起去了北极，遇到了大事件，世纪事件！

开心球词典

未来： 指的是之后才来的时间。比如说，明天有彩虹，但现在暂时没有，它会在未来出现。下一个夏天也是将来时，还有下一个月。虽然需要等待，但一定会发生，关于未来，你可以幻想，也可以计划。

地图： 一种图纸，绘图用来展示地球和星空是什么样的。地图绘制得非常准确和详细。地图上的一切都比实际的要小很多。为了在陌生的环境不走丢，旅行者需要地图。有时候，上面会标注十字记号，表明那里有宝藏。

世纪： 非常长的一段时间，整整一百年。每个世纪都有自己的编号，现在是二十一世纪。如果有人能活整整一个世纪，我们叫他长寿者。在生活中，这样的人经历了很多有趣的事情。

大事件：偶然的历史事件，但不是所有偶然发生的历史事件都是大事件，只有最重要的、最有意义的才是。我们中的每一个人在一年中大概仅仅能偶然遇到一次。日全食对所有人来说都是大事件。

日全食：白天突然转变成黑夜。这是偶然发生的，是因为月亮挡住了太阳。日食通常很少见，结束得也很快，甚至人们来不及观看。比如，学者——鹿教授，经过研究后，准确测算出什么时间会发生日食，就是为了谁也不要错过它。

望远镜：是一个长管子，用来观察很远的物体，比如，天上的星星。在望远镜里安装着功能强大的放大镜。通过它看物体的时候，物体变得很近很大。这不可能立刻就解开许多未知的秘密，比如，太阳上有多少黑子。

手工制作：

1. 取一张卡纸，裁成宽二十厘米、长三十厘米的长方形。之后，选取一个长单边，涂上约一厘米宽的胶水。
2. 把纸卷成一个圆筒，并粘好它。
3. 找一块密度大的树脂塑料片，如图3所示，画出直筒的轮廓，里面再画个月亮。

专用事件探望镜

4. 用黑色颜料笔涂黑月亮，如图所示。把圆形的外轮廓剪下来。
5. 用橡皮筋把圆形的塑料片固定在圆筒上，这个探望镜就做好了。
6. 用圆筒对着灯，你就可以看到日全食的效果。

图书在版编目（CIP）数据

世纪事件/俄罗斯聪明玛莎出版社，北京开心球动漫技术有限公司编著；赵力译. —北京：中国人民大学出版社，2015.1

（开心球）

ISBN 978-7-300-20599-1

Ⅰ. ①世… Ⅱ. ①俄… ②北… ③赵… Ⅲ. ①儿童文学－图画故事－俄罗斯－现代 Ⅳ. ①I512.85

中国版本图书馆CIP数据核字（2014）第313243号

俄罗斯原版图书由A.马利根诺娃，I.波波夫，A.普罗霍罗，S.沙伊西努洛夫，I.舍甫丘克等编创。

绿色印刷　保护环境　爱护健康

亲爱的读者朋友：

本书已入选“北京市绿色印刷工程——优秀出版物绿色印刷示范项目”。它采用绿色印刷标准印制，在封底印有“绿色印刷产品”标志。

按照国家环境标准（HJ2503-2011）《环境标志产品技术要求　印刷　第一部分：平版印刷》，本书选用环保型纸张、油墨、胶水等原辅材料，生产过程注重节能减排，印刷产品符合人体健康要求。

选择绿色印刷图书，畅享环保健康阅读！

北京市绿色印刷工程

开心球

世纪事件

俄罗斯聪明玛莎出版社　北京开心球动漫技术有限公司　编著

赵 力　译

Shiji Shijian

出版发行	中国人民大学出版社		
社　　址	北京中关村大街31号	**邮政编码**	100080
电　　话	010－62511242（总编室）		010－62511770（质管部）
	010－82501766（邮购部）		010－62514148（门市部）
	010－62515195（发行公司）		010－62515275（盗版举报）
网　　址	http://www.crup.com.cn		
	http://www.ttrnet.com（人大教研网）		
经　　销	新华书店		
印　　刷	北京尚唐印刷包装有限公司		
规　　格	210mm×236mm　16开本	**版　　次**	2015年3月第1版
印　　张	2　插1	**印　　次**	2015年3月第1次印刷
字　　数	5 000	**定　　价**	15.00元